D1550432

迪 士 尼 经 典 电 影 小 说

童趣出版有限公司编译 人民邮电出版社出版

责任编辑：陈红军
李眉

迪士尼经典电影小说
花木兰
童趣出版有限公司编译　人民邮电出版社出版
北京市崇文区夕照寺街14号 (100061)
利丰雅高制作（深圳）有限公司印制
新华书店总店北京发行所经销
开本: 787 × 1092 1/16　印张: 3
字数: 10千字　印数: 1-20000册
1998年9月第1版　1998年9月第1次印刷
ISBN7-115-07327-9/G · 554
图字: 01-98-1536号
定价: 30.00元

在长龙般蜿蜒的长城的保护下，古代中原的人民无忧无虑地生活着。
但是这天晚上，危险降临了……
吱……嘎！
我们受到了攻击！快点烽火！
……匈奴人攻入了要塞！

烽火会让所有的中原人
都知道你们入侵了!
说得对!
哼哼!

陛下，单于率领的匈奴人已经越过了北部的边界。
这不可能！没人能越过长城这道屏障的！
赐福，传朕的旨意，调集后备部队并征召全国所有能入伍作战的男丁！
俗话说，集腋成裘。多一个人就可能改变最后的胜负。
文静……端庄……高雅……礼貌……守时……

哎呀！我迟到了！
喔喔喔！
小弟弟，今天的家务就拜托你啦！
汪汪！
在花家的祠堂里，木兰的父亲花弧正向祖先们祈祷……
求列祖列宗保佑木兰今天给媒婆留个好印象吧。
请保佑她吧！
汪汪！
爸爸，这是您的茶！
木兰，你怎么还没到镇上去？我们还等着你的好消息呢！

放心吧，爸爸。我不会让你们失望的。我走了！
看来我还要再祈祷一次。
花李氏，你女儿怎么还没来呀？我们可没有耐心等她。
她总是迟到！但愿祖宗保佑她！
祖宗有什么用？他们都死啦！看，她不是来了嘛！
我来啦！
看你脏的，真不像话！快来洗一洗吧！
哇，水太凉了！
很快你就会容光焕发的！

在美发店里……
最新流行的发型会给你带来好运的!
纤腰细细惹人爱!勒呀!
噢!
还不错……你已经准备好了。
等等,这只蟋蟀能让你交好运!
在媒婆的家里……
花木兰!
背一下《新娘守则》的最后一条。
嗯……呃……
怎么啦?
尽职尽责,稳重……嗯……
……恭……恭顺!每日餐前,反省……自身!

现在倒茶，动作要优雅准确，不能洒出来。
啾啾！
啊！
噢，对不起！
哇！啊哟！
不可救药！你穿戴像个新娘，可你只会给你的家族丢脸！
我不是合格的新娘或大家闺秀。可那是因为我不会装模做样，我就是我。
那个姑娘是谁？我的影子真是我吗？

木兰回到家后……
今年这树上的花开得多好呀!
别看这朵开得晚。可我敢保证一旦她开放……
……就肯定是最美丽的。
是告警的鼓声!
咚咚咚!
咚咚咚!
大家注意，匈奴人侵入中原啦!
皇帝有旨，每家必须出一名男丁参军抗敌!
花家!
不，爸爸，你不能去!

求求你，我爸爸已经为皇帝打过仗了。他老了。
好好管教你的女儿，别让她在男人们的事上多嘴多舌。
木兰，这里没你的事。
明天到吴中营地报到。
遵命。
哎哟！
爸爸，你不用去！肯定会有很多年轻人报名参军的！
保家为国是很光荣的！
可你会为这种荣耀送命的！
可我是为正义而死。你应该记住这一点。

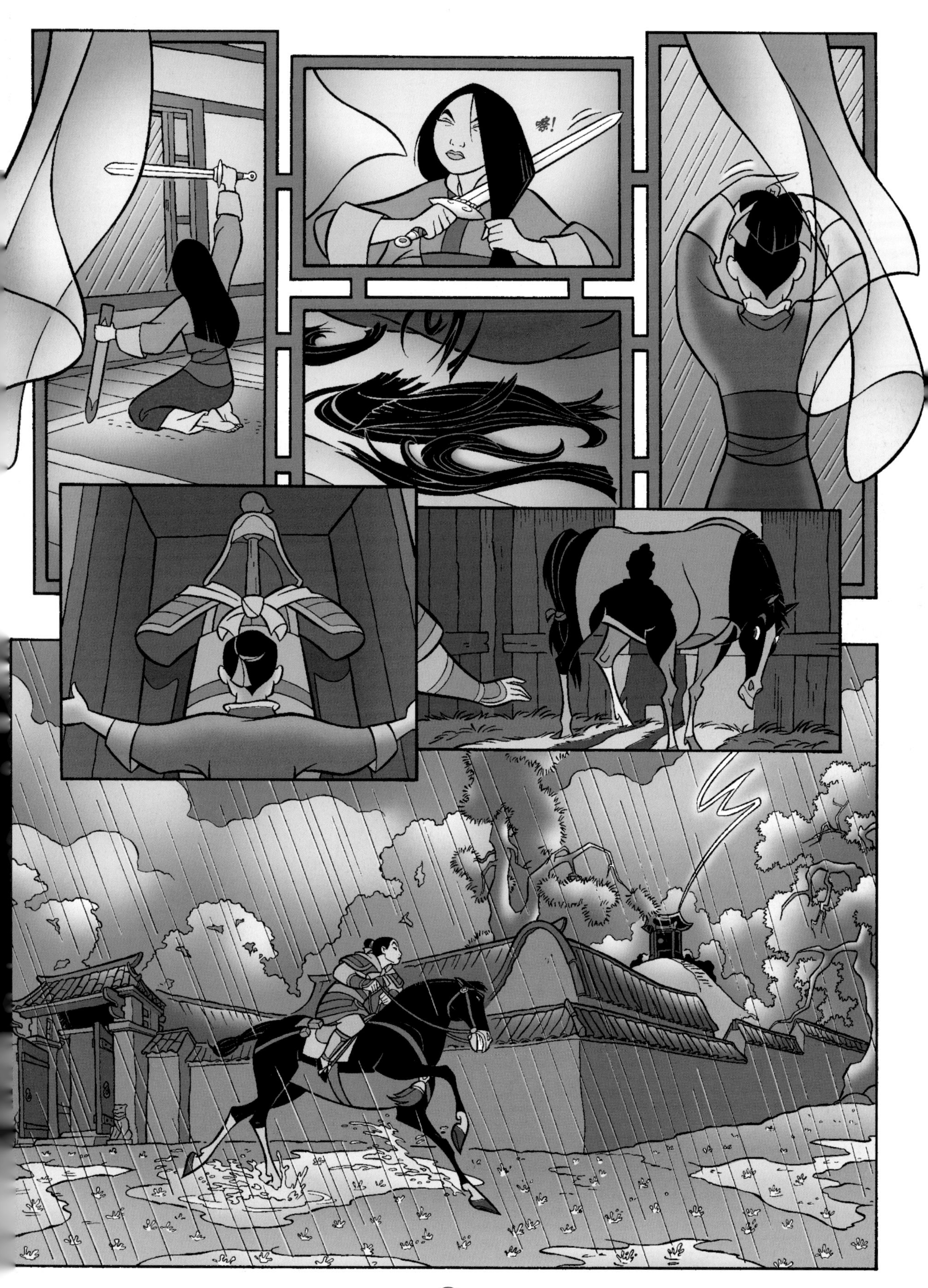
嚓!

木兰走啦！
什么？
难道……
你得把她追回来！刀剑无情，她会死的！
如果我泄露了她的身份，她也会死的！
花家祖先们，求你们保佑木兰吧。
木须，醒醒！
在！有什么重要的事要我出马？我马上就出发！
木须，这些才是花家的守护神。他们……
……会保护这个家。
唉，我一个被降职的……
我……我去敲锣。

现在去叫醒祖先们。
大家注意啦！起床啦！从今以后别想再做美梦啦！
我就知道木兰会惹麻烦！
这是你们那一边的遗传！
叫一个守护神把她弄回来！
肃静！我们要派一个最强大的神去！
好，我明白了。我这就去！
对，让一个最能干的去！
让跑得最快的去！
要是指望你来保护这个家……
我这个样子真多亏你了。

你的意思是让……
不关你的事！现在去叫醒巨石龙！

喂！大石头！醒醒！喂……
哐！
噢！
咔嚓！

噢，天呀！他们会杀了我的！
哗啦！

巨石龙，你醒了吗？
我……
嗯……醒了！早上好！
我马上就去追上木兰！
快去！花家的命运
全都指望你啦！
放心吧！
不会丢脸
我才不去追她呢，
不过既然答应了，
我就要把她变成英
雄再带回祠堂来！
唧唧！
唧唧！
就这么办！那时他们就会
跑来求我、请我去当守护
神的！哈哈，我真聪明！
报告，我们抓到两个探子。
我们是匈奴人。现在回去
报告你们的皇帝，让他派精兵来。
我等着！
需要几个探子
回去报信？
一个。

与此同时……
汗马，女扮男装并不像想得那么容易。要加入军队还需要一个奇迹。
谁需要奇迹?!
你是谁?
我是木须，你的守护神。你的祖先派我来帮你开完化装舞会。
他们派了一只蜥蜴来?
是龙，一条龙!
我可不能这样!
没关系。打这家伙一拳。这是男人们打招呼的方式。
咚!
嘿!我要狠狠地揍你一顿，打得你叫娘!
阿尧，别这样。念一句“南无阿弥陀佛”。好些了吧?
哼，你不值得我浪费时间，瘦猴!
冲我来呀，你这个软面条!
咚!
噢!对不起，宁。

此时，在军营中，李将军正和他的儿子李翔讨论他的作战计划。
我要在单于摧毁这个村庄之前带着军队赶到洞箫关拦住他。你留在这里训练新兵……队长。
队长？遵命，长官！
士兵们！
是他挑的头！
在我的军营里不许找麻烦。你叫什么名字？
花……花平！
让我看看你的征召令。
花弧？我可没听说过花弧还有个儿子。
他很少谈起我。
第二天早晨……
注意，大家注意！
喂！我想来盘炒面！
红烧大虾怎么样？
蘑菇鸡片！
不许开玩笑！
看来这个小白脸还没睡醒呢。

士兵们！以后每天早晨你们必须迅速安静地集合好。违令者从严论处。
嘀，还挺厉害。
阿尧！出列！
去把箭取下来，阿尧。
好吧，俊小伙。
等等。你得带上这个。
这个圆盘代表纪律，另一个代表力量。带着它们去取箭吧。
嘿哟！嘿哟！
啊……
下一个！
哎哟！
下一个！
哎哟！
下一个！

喔哟!
看来我们得从头开始。
新兵们开始训练了……

……一天又一天……

……每天都精疲力尽。

你永远也成不了合格的士兵。收拾东西回家吧。

但是木兰不想放弃。

好啊！
真棒！
你们的速度和力量都提高了……
你们会用风暴一样的力量……
我知道你们会成为真正的士兵的。
……去打败匈奴！
嗨！
嗨！
嗨！
嗨！
嗨！
在山那边不远处……
我的猎鹰叼来了这个布娃娃。你们能发现什么？
高山上黑色的松树枝！
白色的马鬃……
是皇帝的马群！
还有大炮的火药味！

这个布娃娃是从一个叫洞箫关的小村子里叨来的。官军正在那里等着我们，因为那是去京城的必经之路。
丢娃娃的小女孩一定很着急。我们去还给她。
要是被别人看到怎么办？
如果你担心，就去放哨吧。
哇！这下完了！
我先来！
嘻……哈哈哈！
哟嗬！
扑通！
喂，花平！
噢……伙计们，我在洗澡呢。
我是岩石之王，是天下最强壮的人！

真的？我们能搬动你！怎么样，花平？
我们闭着眼睛游泳怎么样？
啊！有蛇！
太惊险了！
你的队伍根本不能同匈奴人打仗！
他们已经受过训练了。
他们不是合格的士兵，就像你不是个称职的军官一样。只要将军看到我的报告，你的队伍就别想上战场！

不管怎么说，我觉得他是个了不起的队长。
看得出来。你喜欢他，是吗？

不是！我……嗯……
好了。回你的帐篷去吧！

到我们加入这场战争的时候了！

来吧，蟋蟀……我们有事做了。

好，让我看看你写了什么。

亲爱的儿子……我们正在关口严阵以待。希望你带队前来增援……李将军。

听见了吗？增援！我要把它改得更紧迫些！
嗯……好多了。我们走吧。

呀……!
队长！李将军送来了急信！前线需要增援！
李将军的紧急信件!
你们这些流氓欠我一双新拖鞋！我可不愿像女孩子那样尖叫!
收拾好你的东西，准备出发!

我们走了这么久，
我的脚疼死了。
想着你是为一个姑娘去打仗，那
样就会忘了疼的。
我们想为一个
姑娘打仗!
真希望有这样
一个姑娘。
看看还有没有活
着的人!

这是怎么回事？我父亲应该在这儿的。
队长……
队长，将军他……
我很难过。
士兵们，匈奴人动作很快。我们要尽快穿过洞箫关，增援京城!
现在只有我们能保护皇帝了。全体士兵，出发!

乒!
嗖……

我……
你暴露了我们的位置！现在……
嗖！
嗖！
嗖！
嗖！
嗖！
嗖！
呼！
嗖！
嗖！
嗖！
嗖！
嗖！
嗖！

轰隆!!!
喂，快救马。
轰!
轰!
轰!

哇呀呀！杀呀！
把最后一炮对准单于！
花平！
快回来！
你没瞄准！
你怎么搞的？

轰!
呼隆!
哗啦!
李翔!
看见他们了吗?
看见了！我要把他们拉……
回来!
嘿，木兰！我找到幸运蟋蟀了!
快来帮帮我们!
嗖!

啊！我们完啦！我们真的要死了！
呼隆隆！
呼隆隆！
我让他们从我的手上滑下去啦……
唰！

看见啦？跟着我，一切都会好的。
稍后……
你真是一个不怕死的人。我欠你一命。从现在起，我相信你。
他受伤啦！快来人！
哎哟！
过了一会儿，在医疗帐篷外……
什么？！

果然如此！我早就觉得你有些不对头！
一个女人！
女人会带来厄运的！
我叫木兰。我是为了救我年老的父亲才这样做的。
这是欺君之罪，队长。你知道该怎么办！

一命抵一命。我们互不相欠了。
可你不能……
出发!
随后……
也许我这么做并不是为了我的父亲……只是为了证明自己是个有用的人。
嘿，至少你冒了生命危险帮助了你所爱的人。
我们回家吧。唉，早晚是要回去见父亲的。
确实不好办，不过我会和你站在一起的。
回家吧。
稍后……

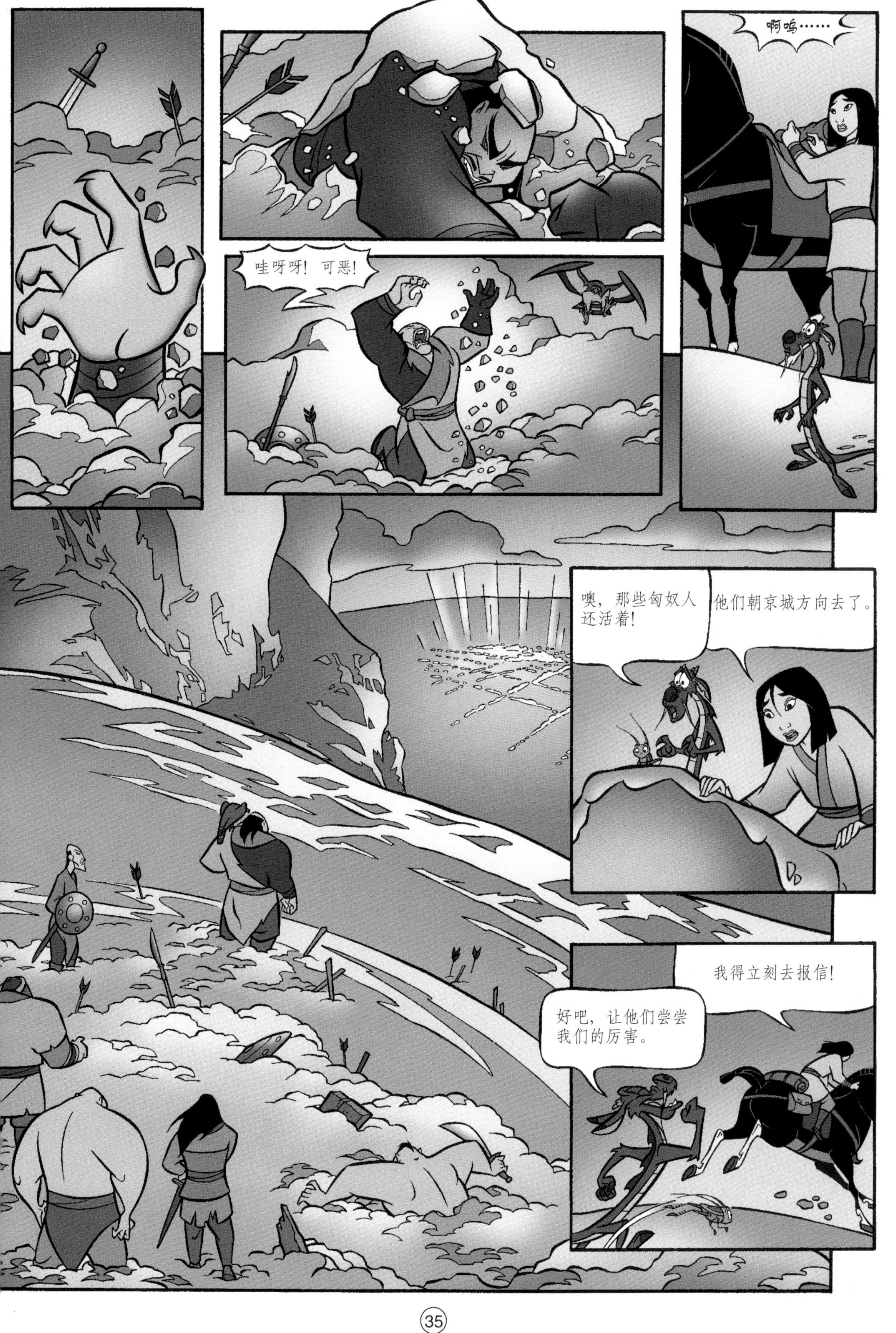
哇呀呀！可恶！
啊呜……
噢，那些匈奴人
还活着！
他们朝京城方向去了。
我得立刻去报信！
好吧，让他们尝尝
我们的厉害。

给打败匈奴的英雄们让路！
李翔！匈奴人还活着！他们混进京城来了！
木兰？这里没你的事，快回去！
这是我亲眼看见的。相信我！
我为什么相信你？
你相信花平，为什么不能相信木兰？
喂，你要去哪儿？
会有人相信我的！

陛下，我把单于的剑献给您！
皇帝很危险！求求你快去救他！

没人肯相信我！
你现在又是个女孩了。谁会帮你呀！
嗖！

李队长，你战胜了匈奴人。你的父亲会为你骄傲的。

哇呀呀!

喂，伙计们，
我有个主意!
过了一小会儿……

你的长城和军队都被我征服了，现在轮到你了。投降吧。
都准备好了吗？
我穿这条裙子是不是显得太胖了？
是几个宫女。
长得真丑！
哎哟！
快投降，否则就把你碎尸万段！
哎哟！

金宝，快救皇帝!
失礼了，陛下。

唰!

噢不!

你坏了我的大事!

啊？是山上的那个士兵!
不，是我。

哇呀呀……
咔嚓！
现在
怎么办？
木须……
我已经
看见了。
快来，蟋蟀！
嘿！
伙计们，我要
点烟花啦！
啊呀……
哈！现在你没
招了吧。

嚓！
不一定！
准备好了吗，木须？
好了，伙计。蟋蟀，点火！
嗵！
嗵！
嚓！
哦！
呼！
得快离开房顶！
啊……
呼！

轰隆隆！
木兰，你总是这么大手大脚的！
噢！
哎唷！
花木兰，你从家里跑出来，假扮成士兵，把我的官殿搞得乱七八糟，最后还……
陛下，请让我解释……
救了我们大家。

赐福，我要
让她当我的
大臣。你给
她安排个位
置吧。
什？！
这……
呃……

谢谢，陛下。
不过我已经离
开家很久了。
我想回家。

带上这个，这
样你家里人就
知道你是皇帝
的功臣。

还有这把剑，
全国的人都会
知道你保卫了
国家。

嗯……你是个……
你干得不错。
噢……
谢谢。

汗马，我们
回家吧。
这样的姑娘可真是
世上少有啊!
爸爸……
我带回来了单于的剑和皇帝
的项坠，这是对花家的奖赏。
可我觉得最好的礼
物和荣誉，就是有
你这样的女儿。我
很惦念你。
我也想念你，爸爸。

太棒了！她带回来了一把剑。她应该再带回来一个……
唉……
请问，花木兰是住这儿吗？
好帅！下次征兵我也要去！
尊敬的花弧，我……嗯……我想……
留下来吃晚饭吧？
好的！
看看，我干得怎么样？我干得怎么样？
嗯，还不错……你可以回来当守护神啦。
当！
当！
嘻嘻……哈哈……！
猜猜谁回来啦！快来点好吃的吧！
当！